KB195945

___ 제4부

시와정신詩選 015

그리운 만큼의 거리

제 1 부

틈새

틈을 들여다보는 일은 얼마나 눈물겨운가
밤하늘 빗장을 여는 유성은 마지막 틈새를 빛낸다
벚나무 꽃망울 하나 제 몸 터뜨리기 위해 몸부림칠 때
억새풀 잎새 올랑대며 공기의 빈 틈을 뚫고 뻗어 올릴 때
틈새는 긴 날개를 접고 빛의 알갱이들을 산란한다
단단한 벽돌 같은 심장이 등을 보이며 돌아설 때
세상을 비집고 살아내는 그 마찰음이 빛을 만든다

별을 보며

징검다리를 건너며
어둠 속을 들여다 본 적이 있다

여덟 개의 별,
하늘에 총총 빛나고 있어
그 중 한 개가 떨어진다면
내 별이어도
서운치 않을 텐데 생각한 적이 있다

뒷마당
텃밭 한 쪽에 쪼그리고 앉아
겨우내 버틴 씨앗들이
별을 품고 새싹으로 나오는 날이 있을 거야
위로한 적이 있다

하심下心
– 순천만 용산에서

사람 마음이란 게
저 예민한 굴곡처럼 돌다가
먼 바다로 내려가는 것

이리저리 부딪히며
끝내는 두 손 들고
망망한 구름처럼 흩어지는 것

고갯마루는 굴곡의 정점
외려 그것조차
노란달맞이꽃처럼 아름다웠다고
자꾸만 다독거리는 것이다

저 물길은,

둠벙

마음에
고요한 둠벙 하나

수면 위
느린 나뭇잎이
햇살로 떠 있을 때

시간의 실뿌리가
둠벙의 경계에서
담쟁이처럼 자라는 모습을
가만히 들여다본다

청보리밭

저기
눈부신 초록의 수면 위로
생 날 것이 튀어 다닌다

온몸을 꿈틀대며
힘줄마냥 솟아오르는

바람의 몸부림

벽화

지게를 메고 걸어가는 사람의
뒷모습을 보았다
산모롱이 샛길을 따라 걸어가는

종아리는 휘청거리고
지게 단에 가린 등은 살짝 굽었다

터덕거리는 작대기로 하늘을 떠받치고 걷는 생生
질빵에 걸린 단단한 한 무더기 구름

바짓가랑이를 종아리에 걷은 채
일몰의 그림 속으로 들어갔다
다시
하늘을 지고
세상으로 걸어 나오는 이여

오후 두 시

동고비 쫑쫑거리는 푸조나무 곁
나무 등치를 한아름 안고 귀를 대어본다

사려 깊은 나무의 속살에서
묵은 된장처럼 맥박이 꿈틀거린다

길 위로
봄볕은 고양이처럼 살금살금

새와 나는
가지에 걸린
한낮의 적막을 하나씩 똑똑 뗀다

생의 그늘은 지워지지 않는 법
빛에 부실 때마다 고개를 돌릴 뿐이다

시계는 오후 두 시에 멈춰 있다

시인의 유전자

비 갠 아침을 지나
휘돌아가는 동천 강물 같은
시詩의 피가 흐른다면

펄떡이는 혈맥에 언어의 피라미 떼는
발가락 마디마디 종점까지
핏줄 따라 놀러 다니겠다

밤마다
가슴에 덜컥 걸리는 언어들
엄지손톱 밑을 찌르며
시커멓게 죽은 문장의 피를 짜낸다
어둠의 양수 속으로 미끄러지는
w93329207 소행성들

시詩의 날은 무디어져
자꾸만 무디어져
내 볼기를 무참하게 만드는
시의 피여
시인의 길에서 철버덕거리는 피여

그리운 만큼의 거리

그리운 만큼의 거리는 어느 정도일까

그리움은
입술 밖으로 나와서
세상을 한 바퀴 돌더니
보이지 않는 사람의
발밑에 떨어졌다

송씨 아저씨

그저께 초저녁에
그 이층집 송씨 아저씨를 봤는디
손에 검은 비닐봉다리 하나 들고 가드만
달걀 한 줄하고 참기름이란디
각시 생일이라고 미역국 끓여줄란다 하데

각시는 이태 전에 필리핀에서 왔는디
작년에 첫애 낳드만 올해 또 만삭이여
각시가 어디 마실 갈 곳도 없고
만날 집 안에서 테레비만 켜놓고 있드만

집에 미역이라도 있냐 물어본께
송씨왈 미역이 없다 그라제,
에고 이 양반아,
계란으로 뭔 미역국을 끓인다냐
내가 답답한 마음에, 기다려보라고 얘기하곤
우리 집에 미역 쪼까 남은 것이 있어서
한 남비 넉넉하게 끓였제
마침 생김치가 있어서 담아서 갖고 갔는디

그 집 냉장고 열어본께 아무 것도 없드만

송씨 아저씨 말수도 적고… 징허게 순해서
그동안 몇 번 가서 어찌 사는가 보긴 했는디
그저께 미역국 끓여준께 내 맘이 다 편드만
가끔 주말에 부인하고 애기랑 공원에 나와서 바람도 쐬던디
다른 형제나 친척은 없는 것 같데
그래도 각시한테 미역국 챙겨주려는 듬직한 신랑이여

봄의 공화국 1
- 개불알풀

푸른 꽃별이 돋아 있다
햇볕 드는 한 움큼의 자리
마른 들판을 일으켜 세우는 봄의 전령사

화엄제비꽃, 은방울꽃, 홀아비바람꽃, 흰노랑민들레에게
솜털 같은 목소리 전하며
잠을 깨운다

퍼렇게 빛날수록 별의 온도가 높은 것이라고
자신의 온몸을 태워가는 중이라고
작아서 오히려 빛나는 것이라고

뭇 꽃들은 그리하여
봄의 공화국 대변인에게 귀를 기울이는 것이다

봄의 공화국 2
- 목련꽃

봄바람은 귓가에 속삭인다

근질거리는 꽃망울들은 몸을 열어 젖힌다

가지마다 흐벅지게 날아오르는

저 눈부신 열기구의 향연

봄의 공화국은 서럽도록 희다

겨울밤

굽은 소나무 서 있는
성동오거리 옆,
오후 네 시면 문 여는
로터리 국수집
네온 불빛이 사그러질 때
두 평짜리 난장이 선다

노란 양푼 속
삶은 달걀 톡 쪼는 소리
등 푸른 김밥 두어 줄
롱부츠를 신고 손거울을 들여다보는 처자들
물국수 하나 외치는 사내
좁은 어깨를 가진 얼굴들은 겹쳐지고
각자의 탁자에 올려진 분량만큼
구수하게 흐르는 동지애

시계바늘은 언제나 같은 길을 돌지만
되돌리지 못하는 시간
낮에 두고 온 고뇌의 줄기를

젓가락으로 말아 올리며
지그시 끊는 입

말아먹은 세월을
되새김질하는 사이,
창밖으로
싸락눈이 환하게 비친다

시와정신詩選 015

그리운 만큼의 거리

제
2
부

갈대숲 속 작은 집

갈대 촘촘한 숲에
작은 집 하나 짓고 싶다
늙은 호박 같은 지붕이
길에서 보일 듯 말 듯
딱 두어 평짜리
하품도 귀찮아 졸고 있는
늙은 개 한 마리가 주인 노릇을 하는
갈대숲 속 작은 집

숭숭 뚫린 갯구멍에서
종지기만한 손을 내미는 칠게들과
악수를 하며 껄껄 웃어도 좋겠다
새우잠 자기 좋아하니
밤에는 웅크려 자면 될 것이다
길 잃은 청둥오리
비집고 들면 기꺼이 품을 덜어 주겠다
부비는 깃털의 감촉은
어둠을 환하게 비추는 노래

지붕 위에는 문득 별들이 떠 있고
별의 까만 눈망울을 들여다보면
그때 어깨로 살짝 내려와 앉겠지
갈대는 부르르 떠는 창호지 밖에서
곰살스런 대화를 듣기 위하여
귀를 기울일 것이며
그리고 가는 허리를 낭창하게 흔들며 웃을 것이다

새벽녘이면
갈대숲 언저리에서 밀려오는
물안개의 꿈을 만난다
제집 마냥 드나드는
그대의 마음과
수수께끼 놀이를 하며

여자도에서

금박으로 빛나는 여름햇살을 보러
여자도에 간다

섬달천에서
툴툴거리는 새마을배를 타면
아,
저기 저 뱃전 너머로
통통 튀어 오르는 숭어 떼들

물속에서 사금이 반짝이듯
시어詩魚의 금빛 비늘이 반짝거린다

청자빛 물에서
날개를 털며 나온 시어의 등에 올라
나는 고삐를 죄고
눈부신 햇살 위를 둥실 떠다닌다

제비꽃

석현동 한전 옆 골목길에는
제비꽃들이 산다
벽돌담과 맞닿은 구석마다
빼꼼히 줄지어 서 있다

직각으로 만나는 깡마른 틈새마다
어떻게 가느다란 뿌리를 뻗어 내렸을까
화성에 처음 내린 탐사선처럼
그 제비꽃 마을에서 살았던
할아버지의 할아버지도
바람에 흔들리며 어렵게 착륙했겠지
한 손톱만큼도 안 되는 흙에서
싹을 틔웠겠지

봄이면 한전 옆 골목길에 간다
작은 생명의 우주가 숨 쉬는 곳으로

지상의 별

순천까지 밤길을 타고 오면
저 아래 구례읍쯤,
빛이 반짝인다
밤의 평원에 별꽃이 피어난다

하늘에만 별이 돋는 것은 아니다
지상의 별은 살아 숨 쉰다

빛 하나에 소망을 담고
빛 하나에 가슴을 쓸어내리고
빛 하나에 외로움은 환해진다

어둠 속에서는 그 어떤 슬픔도 반짝인다

연줄처럼 이어진 빛이
별자리를 만들고,
고혹한 숨소리를 내뿜는 별들은
끊임없이 이야기를 자아내고 있다

사람은 낮에는 비치지 않는
별을 하나씩 지니고 살아간다

발이 넓어서

벚꽃 구경 갔다가
솜사탕을 하나 사려 했지
깜짝 놀랐어
어 당신!

호수공원에서
솜사탕과 닭꼬치 파는 노점상 쫓아내려
두어 번 실랑이를 벌였는데
당신이 또 여기에?

비싸게도 파네
5천 원짜리,
토끼 눈깔 붙인 솜사탕 하나 사들고
지폐를 내밀었더니 안 받으려 해
머쓱한 웃음 짓고
다시는 안 본다고 했더니 주저하며 받데
"도와주셔서 그럭저럭 먹고 삽니다"
돕기는 뭘 도와요…

속 모르는 옆의 지인이 한 말 거드네,
"선생님은 참 발도 넓으셔요,
지난 번 치킨집 사장님도
잘 아시더니…."

동천 벚꽃은 한창이고
벚꽃은 웃음 덩어리
터지면 멈출 수 없지

동주를 생각함

희락호텔 15층,
통유리창 밖으로
국내에서 가장 길다는 현수교가 풍경화처럼 걸려있다

뜨거운 아메리카노를 홀짝거리며
'광양은 왜 동주인가'
유명 평론가의 고급진 강의를 듣는다
뷔페식 오찬을 즐긴다

지금은 '부끄럽다' 라는 말이
두툼한 뱃살 같은 어휘사전에서 쏙 빠지고
세련된 어금니로
식민植民,
식민食民,
식민飾民을 연호하며
야금야금 씹어대는 세상

구원의 별을 찾으러
형량할 수 없는 부끄러움의 깊은 바다를

표류하던 자화상
후쿠오카 형무소의 곡비哭婢를 떠올린다

이런 환장할,
오늘 밤
별… 별… 별… 무더기
얼굴을 돌린 별 하나 본다

롤러코스터

이거 원,
롤러코스터도 안 타 봤어?
헛살았네

인생도 모르는 낙제생 대하듯
옛 애인은 짠한 표정으로
내려 본다

천천히 올랐다가
휭 하니 떨어지는 게
딱 그거라니까

조마조마하다가
멈추면 끝나는 거지

등

웅크리고 앉아
아들 녀석의 등을 민다
하얗고 작은 등에서
물안개 피어 오른다

김이 무럭무럭 솟는 욕조 안
흘러다니는 빙어 떼를 쫓다가
내 차례가 오면,
겁나는 빨간 이태리타올 속으로
수건을 감아 넣던 아버지

넷이나 되는 등짝을 어찌 밀었을까
시간의 물살은
눈보라와 칼바람을 견디는
미루나무를 세워주고
결국 아버지를 삼키었다

오늘 나는
머잖아 세상에 심어질

작은 미루나무의 등을 민다
하나만 미는데도 숨이 차다

머언 먼 훗날,
너도 기억할까
겨울 들판에 서 있으면
세찬 바람에 섞여 들려올
거친 숨소리를

단면

매콤한 연두 빛 이마에
볼록하게 잘 빠진 놈을 골라
통으로 베었다

허, 고놈 참!
바람 들었네

숨기고 버텼지만
칼질 한 번에
나신裸身은 금세 드러난다

무 밑동같이 살아온
버틸 수 없어도
쓸어 담을 수 없어도
버릴 수는 없다네

아,
삶의 구멍을 기울 수 있으면 좋으련만

꼬막

골 깊고 작지만
제사상 오르는 참꼬막

두런거리는 밥상머리에서
아내는 꼬막을 까서
내 앞에 놓아준다
꼬막 반쪽의 생을 얻어먹고 있다
데쳐진 속살이 내 앞에 놓여 있고
아내 앞에는 빈 껍데기만 남는다
나는 젓가락으로 꼬막의 속살을 빼먹고
밥상 위에 차곡차곡 탑을 쌓는다
아내는 지친 손가락 끝마디에서 돋아난 혀로
껍데기를 핥을 뿐이다

앉았던 자리
갯내음이 남는데
산山만한 어깨 들썩이면
아리고 아린 살점

푸른 말똥의 시인을 생각하다 1

용당교 아래에 앉아 물소리를 듣는다

갈대 아래를 지나는 물은 고요하다
잔잔하게 두리번거리는 소리를 낸다

어도魚道를 지나는 물은 몸을 비틀며 큰 소리를 낸다
물은 이리저리 부딪히며 신음소리를 낸다

서정춘 선생은 등단 28년 만에, 『죽편』 시집을 내었다. 헛간에
서 무쇠 칼을 갈다가 은장도가 되고 나중에는 은어 새끼가 되어
파닥대는 꿈을 세 번이나 꾸었다고 했다. 닳아지는 것과 벼리는
것은 어떤 차이일까 헛간에 쭈굴치고 앉아 마냥 갈면 은어가 될
날이 올까

가슴 밑바닥 풍당풍당 솟은 요철들은 닳아지기는 하는 걸까
닳아지는 듯이라도 보이면 좋을텐데
다리 아래에서 기다려 볼 참이다
저 졸졸거리는 물에서 푸른 말똥의 냄새가 날 때까지

푸른 말똥의 시인을 생각하다 2

몇 해 전, 문학상 행사에서 서정춘 선생을 뵈었을 때다 문어가 다리를 뻗는 것처럼 조심스레 문학판에 발을 들여놓은지 이태 정도 될 때 선생은 그 행사에서 축사를 하셨다 내용은 기억나지 않지만 삼십여 분 가까이 미주알고주알 여러 가지 말씀을 늘어놓아 행사가 전체적으로 딜레이 되고 만찬도 늦어졌다 '뭐 저런 분이 다 있지' 하며, 속으로 행사의 분위기를 가라앉힌 장본인이라고 생각했었다 그 후 선생에게는 축사보다 건배사 정도로 순서가 바뀌어 간 듯싶다

그런데 작년 시상식에서 선생에게 축사를 부탁드릴 순서가 되었다 이때는 나도 행사를 주관하는 입장인지라 겁이 덜컥 났다 축사가 길어지면 어쩌나 하는 노파심에서 선생이 서울에서 내려오시기 전에 전화를 드려 축사를 짧게 해달라고 부탁드렸고, 행사장에서도 서너 번 계속 말씀드렸다 선생이 축사 순서가 되어 단상에 올라가려고 일어설 때 귓속말로 짧게 부탁드린다고까지 하였다

선생은 단상에 올라가서 헛기침을 두어 번 하시더니 딱 세 마디만 하고 내려오셨다 '축하드립니다' 선생이 내려오시고 나서 행사장 뒤편에 서 있던 나는 감사하는 마음이 일었다가 한동안 멋쩍어졌다 며칠 지나 생각하니 대선배 시인에게 큰 결례를 범한

듯싶었다 몇 번씩이나 짧게 해달라고 이야기한 탓에 그리 되었나
싶다

　죽편의 첫 시집을 출간할 때, 35편의 시를 골라내면서 선생은
30년 동안 참혹한 농사를 지었다고 혹혹 우셨다고 하는데 그 농
사를 지은 땅에는 얼마나 많은 시詩의 유물들이 파묻혀 있었을까
언어의 파편과 시어의 유물을 관리하는 박물관장으로 희미한 조
명 아래. 그 전설 같은 이야기들을 들려주고 싶은 게 많았을 터인
데…

청산도 백씨

청산도 길 따라 순환버스를 운전하는 백씨는
운전하랴 매표하랴 마이크 대고 설명하랴
주말에는 정신이 없다 한다
삼 년 동안 사표를 세 번이나 쓰려 했는데
섬에 와서 버스를 몰 희망자가 없어
아직까지 하고 있다며 너스레를 떨고
상처한 지 오 년이라 중신 서달라고 하더니만
범바우 전망대에서 막걸리 파는 댁이 누님이라며
한 시간 땀 빼고 올라가면 해물파전 넉넉하게 준다고 하네
구들장 논을 지나다 옹기종기 마늘 수확이 한창인데
오십대 아줌마 마늘 좀 사면 좋겠다고 하니
버스를 세우고 밭에서 꼼지락대는 아낙을 부른다
한 차대기 만 원이라며 두 차대기 버스에 실어 주고
콧노래 부르며 헤드폰 마이크에 삑삑거리며 웃는
청산도 순환버스 운전기사 백씨

가시

오래전 집들이 가는 길
길을 지나다 작은 선인장 화분을 봤지
이천 원짜리 두 개 골라
하나는 친구에게,
하나는 내가 가져왔지

선인장은 쑥쑥 자랐어
몸통은 굵어지고
베란다 햇볕 잘 드는 자리에서
장족의 발전을 한 거지
볼 때마다 흐뭇했어

어느 날인가
나는
가시를 잃어버렸어

사는 재미에 관록도 붙고
음흉한 상상으로 열기구에도 올라타고
창공을 오를 때도 있었지
이리저리 부는 바람에 쏠려다니고

세상살이 시달려 보니
이젠 부러지고 뭉툭해졌어

가시는 찌르라고 있지
가시가 다시 돋아나면 좋겠어
마음 깊은 데를 찌를 수 있는

무릎을 꿇고
뾰족한 새파란 가시가 번뜩거리길
기다려야겠어

시와정신詩選 015

그리운 만큼의 거리

제
3
부

보림사 목어

자글거리는 팔월 햇살이
보림사 대적광전 앞마당을 달굴 때
나지막한 층계 그늘에 앉아
마주보고 목어와 이야기하다

맞배지붕이 하늘에 닿아 움푹 원호를 그리는 사이
요람처럼 흔들리는 저 목어는
속없는 것이 오래 살아서
속창아리조차 다 빼주고는
이따금 지나가는 이에게 자신을 내놓는다

폐에서 뱉어지는
안개처럼 흘러나오는 욕망들

다만 하늘을 바라볼 뿐이다
하늘도 속이 비었구나

목어는 다시 바람에 흔들린다

탱자나무 숲

탱자나무 둘러서 있는 곳을 숲이라 부를 수 있을까

가시 돋은 탱자나무 속을 들여다 볼 때
내 속에는 내가 많다고 노래한 가수가 생각나곤 해

가시가 만들어지고 자라는 숲에서
작은 새들은 노래하지

저 새의 노래를 닮은 노래를 부를 수 없는 우리는
우리의 등뼈가 휘어지는 것,
멈추고 싶어 하지만
포물선의 기울기는 날카로워지기만 해

가시는 가시가 뻗는 곳을 피해서 자라나지
서로 찔리지 않는 거리를 놓치게 된다면
작은 새들은 모두 떠나고 말 거야

탱자나무 깊은 속에는 새들이 옹기종기 모여 살지
멈추지 않는 노래가 나오지

비렁길에서 바다를 보다
– 미역널방에서*

앞서 가는 사람의 등을
바라보면
비렁과 같이 가파르다는 것,
바다가 보이는 좁은 길에서 보았다

숨 쉬는 굽이마다
기다림은 언제나 느지막이 나타나고
돌멩이 하나 주워 던지면
떨어지는 곳은 풍덩,
잃어버린 사랑의 자리

장력을 이기고 튀어오르는
기억을 하나씩 꺼내어 말린다
미역을 널었다던 반석 위로
햇살은 더욱 투명해지고
속내 깊은 바다는 입술을 닫았다

수직한 절벽을 앞에 두고

동백은 붉은 꽃망울 터뜨린다

* 미역널방 : 여수 금오도 비렁길에 있는 전망 좋은 곳

웃음도 짠맛이 난다

피어오른 비구름
하늘을 덮고 있다

짙푸른 갈대는
하늘과의 경계선을
넘지 못한다

멀리 바닷물과 맞닿은 곳
순천만 둑길에 서면
가슴이 아려온다

태고의 거친 숨이
똬리를 풀 듯이 올라온다

푸석이는 앞가슴 열면서 웃는다
소금처럼 흰 웃음이 나온다

때론 웃음도 짠맛이 난다

포옹

새벽 아침
토란잎 위를 구르는 물방울
그 둥근 하나를 만들기 위해
얼마나 작은 방울들이 만나
서로 껴안아야 했을까

돌 틈새 민들레꽃
큰 송이의 촘촘한 노란 빛을 위해
작은 꽃송이들은 얼마나 자주
서로의 어깨를 토닥거려야 했을까

보도 위 흐트러진 낙엽들
껴안는 힘을 상실한
뒹구는 돌은 언제 잠 깨는가*

* 이성복 「뒹구는 돌은 언제 잠 깨는가」 차용

풍경

백양사에서 풍경을 하나 샀다
집에서도 청아한 소리를 듣고 싶었다

소리는 울리지 않았다
도심으로 팔려온 풍경은
숨만 죽이고 있었다

바람과 함께 살지 않아서일까
바람은 지갑에서 나오지 않는 법
콘크리트 안에서는 견뎌내지 못했다
결국 방생하기로 작정했다

산그늘 내린 사찰의 처마 위
청천백운의 바다가 펼쳐져 있는 곳

물가에 닿자 풍경은 꼬리지느러미를 흔들며
물 속으로 미끄러져 들어간다

풍경의 맥박 소리가 울린다

뎅 뎅 뎅

숲 속의 노래

어둑한 숲 속에서
누군가 숨어 지켜보고 있었지

나는 그 숲을 사랑했고
해 떨어지는 숲에서 흘러나오는
노래의 곡조를 무척 아꼈지
유혹을 못 견디고
가면을 쓴 새들을 찾아가곤 했지

아침의 숲에서
비움은 얼마나 유려한지
그 숲 속에 살짝 놓아두고 온
한 줌의 긴 숨소리를
새들은 자꾸만 흘려보내곤 해서
내 발걸음은 매번 주뼛거렸지

칼 가라아–

유령처럼 들려오는 소리

누렇게 변색된 신문지처럼
노인이 걷고 있다
다 떨어진 가죽가방 둘러메고

해진 모서리에는
삐져나온 우산살 서넛

땅만 보고 걸었을까
등 언저리는 원래 구부러지진 않았을 텐데

제 칼을 갈지 못하고
골동품이 되었다

뉘엿뉘엿 지는 해

뒤로 굵직하게 메아리친다

칼 가라아–

등뼈

감자탕 집에서 통뼈를 먹는다
뼈다귀에 눌어붙은 살
발라먹는 재미가 쫄깃하다

계륵같은 살을 발라 입속에 넣으며
언젠가 생고기집에서 먹던 등골이 기억났다
번지르하게 빛나는 등골을
나는 얼마나 빼먹었던가
소와 돼지의 등골을 빼먹는 동안
내 척수에는 차곡차곡 기름이 재여졌겠지

젓가락을 내려놓는다
자신도 모르게 후벼지는 등골을
어찌 감당할 것인가

슬픔에 대하여

항구는 멀다
낙진은 오래도록 내려온다
눈꽃은 바람에 표류하고
망망한 푸른 수면에서 미끄러진다

날이 새지 않기를 바라며
너는 무던히도 벤치에 앉아 있었다
그 광경이 반짝였던 이유는
슬픔의 눈빛을 가졌기 때문이지

한 줌의 햇살을 쫓아가기 위해
너의 정의定意에 대해 되씹은 적이 자주 있다
어깨를 나란히 한다고 생각했지만
입꼬리에 달린 너의 무게를 가늠할 수 없었다

슬픔이 튀어 바짓가랑이가 젖을 때마다
꽃 한 송이,
그 한 송이 피워낸 웅덩이마다
물은 시초부터 없었다고 생각했지

끝없는 슬픔의 신화를 만들어내는 전령들
심장에서 흘러나오는 잉크를 적신다면
너를 필사할 수 있을까

오늘은
너를 끌어올린다

뭍이 멀지 않았다

상상의 밤

붉은 모래 위로
이슬 같은 밤이 내리면
적막한 사위四圍
한 알 모래, 미끄러지는 소리도
들릴 거야

후두둑 쏟아지는 별빛 소나기에
흠뻑 취하면
옛적 겨울, 처마 골마다 달린 고드름
한 움큼 뜯어다
용암처럼 흘러내리는
열을 식히고
등지느러미 빳빳하게 세워온 생
모래바닥에 그만 뉘우고 싶어

태양이 자취를 감추고
자전하는 지구의 숨소리
자장가처럼 들리면
나는

검푸른 대기 속을

제 맘껏 쏘다니는

물고기를 만나러 가는 꿈을 꾼다

꼬리 잘린 도마뱀의

심장 박동이 메아리치는

가보지 못한 사막의 밤으로

시와정신詩選 015

그리운 만큼의 거리

알래스카 사진사

70대 후반의 사육사가
반달곰 두 마리에 물려 죽었다
곰은 사살되었다
사육사와 반달곰 중 누가 더 불행한가 따져보다
곰에게 물려 죽은 또 한 사람이 떠올랐다

호시노 미치오,
불곰에게 물려 죽은 사람
알래스카의 북극에서
고래, 흰머리수리, 회색곰, 연어, 무스와
이십 년을 함께 살았다
하루종일 해가 뜨지 않는 밤이면
고개를 젖히고 오로라만 바라본 사람
캄차카반도에서 알래스카의 고독한 눈숲까지
오오츠크해의 냉랭한 기단처럼
눈빛을 반짝거리며 야생을 돌아다녔다
그가 아니었다면 잉태하지 못했을 순간들
오직 조물주의 신神만이 아는 풍경을
몇 장의 사진으로 남기었다

캄차카반도의 쿠릴호수 옆에서
불곰의 습격을 받았던 마흔네 살,
그 후로 우리는
북극의 땅에서 일어나는 생명의 신비,
그 야생사진 연작을 볼 수 없게 되었다

오늘 밤 나는,
툰드라의 이끼풀밭이 지평선을 무한히 넘어서는 광경에서
회색곰의 습격을 받는 꿈을 꿀 것이다

오종오종하다

그는 '낫낫하다'의 동의어로 불리곤 한다
달뜨지 않는 척하면서 종종 달뜨기도 한다

이태 전, 낙안읍성 객사에서 공연이 있을 때였다 묵중한 DSLR
을 목에 건 그와 마주쳤는데 나와 일행은 렌즈 앞에서 쐐기문자
처럼 졸졸거리는 웃음을 흘려보내며, 난해한 요가 동작의 품세도
취해야 했다 귀찮을 정도로 찍더니 카카오앨범에 바로 올려주었
다 그 덕에 내 일행들은 좋은 사진을 얻었다며 내가 외려 찬사를
받았다

두어 달 전, P작가가 초청강연 차 왔을 때이다 P작가는 한참 진
중한 강연 중에 그날 오후에 있었던 에피소드를 소개했다

P작가는 그가 이끄는 대로 순천만에 갔단다 데크길 아래 갈대
밭, 흙투성이 할배들을 만났는데 큰소리로 인사를 해도 할배들이
못 알아보더란다 그는 발을 구르며 손가락으로 제 가슴을 가리키
며 '오종! 오종!' 하였단다 그랬더니 할배들이 허리를 펴며 빙긋
이 웃고는 서로 마주보며 머리 위로 하트를 그렸더란다

P작가는 벌건 대낮에 갈대밭에서 반짝이는 별들을 담았노라고
하였다

이후 그는 '오종오종'이 되었다 오종오종은 쫑쫑거리는 병아리 떼처럼 연달아 빨리 발음해야 제 맛이 난다 뜻을 지어내보려다 못했다 아마도 '검사스럽다'의 반의어 정도라면…… 그의 미소와 어울릴 듯싶다

부드럽다 봄볕 아래의 버들개지처럼, 물오른 가지의 막 터질 듯한 잎망울처럼

회포동터미널에서

처음 간 터미널
구석진 식당에서 돼지국밥을 시킨다
그동안 먹던 것과 냄새부터 다르지만
깍두기와 새우젓 넣고 휘휘 저으면
이내 익숙해진다

낡은 식탁마다
이방인 면허증을 목덜미에 붙이고
자작 술을 따르는 소주병들

깊은 바다를 유영하는 심해어는
어두울수록 몸이 투명해지지

태국의 골목에서 먹던
부슬부슬한 알람미*를 떠올린다
찰나에 몸통을 비트는 보법步法은
배우지 않고도 아는데

한번 어긋난 각도는

제 갈 길로

끝내 가야만 하는

인적 드문 화요일 밤,

회포동터미널에는 이방인 발자국 소리

자작자작 남는다

* 알람미 : 안남미(安南米)

새들도 똥을 누는구나

새들이 똥을 쌌다
점심 먹고 나와보니 차 위가 허옇다
똥폭탄을 맞은 게다

약속한 식당 찾아 빙빙 돌다
가로수 아래 주차라인 비었길래
오늘은 왠 떡이냐 하였더니
돌아온 것은 똥무더기
한 시간도 안되었는데
옆에선 '새 똥'이 '헌 똥'보다 낫다며 웃고

똥 눈 녀석들
엎드려뻗쳐 일렬로 세우고
줄빳따로 갈궜으면 싶었다
새들은 비명을 어떻게 지를까
솜털 돋은 궁둥이 들썩일 텐데

그나마 냄새 덜 나는 거라 다행이다
시원하게 싸댔는지
아까는 듣지 못한
지저귀는 소리 들렸다

아침의 풍장

비 갠 아침,
동천 자전거 길에서 마주친 뿔
유난히 컸다

하늘을 향한 잠망경을 두리번거리며
연질의 몸뚱이는 멈춰 있다

습지로 넘어가며 숨을 돌리고 있었던 것일까
서너 걸음 폭의 길을 한낮이 되어야 횡단하겠다
온몸으로 사막을 건너는 단봉의 목숨

뒤따르는 숨들의 가벼운 질량
납작해지고,
납작해져 곧 가래의 혼적처럼 남을 숨들
바람과 빗소리에 파묻히겠지

서너 걸음만 가면 그뿐인데

그날 아침에는

하늘 아래,

풍장이 한창이었다

혀에도 꽃이 피다

설과장은 소주를 참 맛있게 자신다

잔을 탁 털어 넣으며

쭈-우--욱 크으-아--

하도 쪽 소리나게 들이켜서

흉내를 내보려 해도 괜히 간지러운 소리만 난다

그래 사십년 가까이 소주에 길들여진 사람과

한 잔만 마셔도 땡인 초짜가 같을 순 없겠다

목에 착 감기는 맛있는 소리는

사십 년 주독酒毒의 오랜 내공을 쌓아야

낼 수 있다며 웃는다

오늘도 점암식당 그늘 아래

구공탄 화로를 가운데 두고

날름거리며 타오르는 붉은 춤사위를 본다

청양고추를 덥석 베어 물고

노릇노릇한 주꾸미 한 조각을 혀에 올린다

혀에 꽃이 핀다

작은 별꽃들이 솟아오른다

겨드랑이에 날개가 돋았던 시인도 있었다던데
혀에 꽃숭어리 주렁주렁 매다는 피어싱이나 해볼까

설과장은 소주를 쪽 소리나게 자신다

바람의 귀

대숲에는 귀가 없대요

대나무들은 자기네 귀를
바람에게 빌려주었대요

그 후로 자기들끼리 이야기를 나눌 땐
몸을 기울여야 한대요
바람에게 도움을 받아야 한대요

내 귀도 바람에게 빌려주고 싶어요
내 속을 지를 후끈한 염장도
세상사 투덜거림도
음침한 늪 속에 누군가 빠지길 기다리는 염치도
가지고 싶지 않아요

대숲을 지날 때
바람은 유형지의 소문을 몰고 온대요

나무의 방향성

숲길에서 굵은 허리를 가진 고목들과 마주쳤다
흘러나오는 향을 맡으며 그들을 지켜보면
하늘로 곧게 뻗은 우듬지들이 없다
물항아리의 곡면을 따라가는 듯 저 둥치들은
굵을수록 곁가지를 두지 않는다
굳은살처럼 둥치마다 거죽이 쩍쩍 벌어지며 한 세월 견디고 있다
오래 견딘다는 것은 구부러지는 자세를 배운다는 것
휘어지면서 자신을 설득하는 기술을 습득한다는 것
저 부신 햇살의 기억만을 박제하는 굽은 허리들
손가락 두 마디 들어갈 정도로 벌어진 틈새로
밑동이 굵은 나무들은 뼈저린 향을 내뿜는다

구름의 연애

구름을 쪼는 새를 본 적이 있다

부풀어진 구름덩이에서
부리로 한 조각씩 뜯어서는
여기저기 빈 하늘에 흩어놓곤 했다

넓직한 부리를
때로 날카롭게 다듬었던 새는
서늘하게 기록된 상형문자들을
꿈속에서 늘어놓았다

새의 노래는 깃털에서 나오는 것일까
흐린 날씨의 목소리가 뜯겨져 나올 때마다
나는 맨발로 오토바이를 타며 질주하고 싶었다

당신이 타인의 핸드폰으로 배달될 때
주인 오기를 기다리며
한 구석에 처박힌 택배물건처럼
나는 가만히 쭈그려 있다

좀처럼 해명되지 않는
고대 문자의 형상을 들여다본다

폭우처럼 당신이 휩쓸고 지나간 날
바람의 선연한 어깨를 빌리거나
코스모스의 여린 등에 기대고 싶었다
한참은 가만히 있고 싶었다

날마다 새는 구름을 쫀다

구름조각들은 피를 흘린다

어쩌다 악수惡手
– 바둑을 두면서

쭉 뻗어 나간 비행운을 보면
악수惡手 없는 생이 있을까 생각한다

어쩌다 자신의 그림자를 밟으면 모를까
살다보면 꼭 필요할 때마다
악수는 튀어 나온다

꼼수의 중력을 이기지 못하는 손가락
반상의 빈칸마다
암흑물질로 가득 찬 입술은 관능적이다

펑펑 터지는 꽃놀이패처럼
화려한 조명이 번쩍이길 바라지만
그늘은 늘
그늘의 깊이를 늘려 나가고

넘어질 때가 기억으로 남는 법
그게 삶의 본업이라는 것을
아차, 자충수를 두었구나
하는 순간

평행선

당신과 나, 이렇게 흐린 날이면
습관처럼 아메리카노를 주문하고
각자의 창밖을 바라본다

선은 다른 하나의 선을 만나
길을 만들고,
길은 언제나 세상의 끝을 끌어안고 있지

선이 시작되는 쯤에서 당신은 알아채지
마주보는 선은 끝까지 마주치지 않으리라는 것

구겨진 냅킨에 당신을 끄적거린다

늘 물음표를 내 심장에 쿵 심어대는 당신은
결코 도착하지 않는 종점에 유령처럼 서 있어
구름의 지도를 보여줄 것처럼 손을 흔들지

오늘 밤 다시 선 긋는 연습을 한다

구겨진 당신을 조금씩 다시 펴는

소심한 복수

AI 방역초소에서 근무를 설 때
'시답잖다'란 말을 떠올리곤 하지
통과하는 차량에 소독약 분사하는
스위치를 누르는 게 일
자동분사로 스위치를 해놓지만
수동으로 분사해줘야 하는 경우가 생기지
자주 지나다니는 승용차들은
분사대 앞에 멈춰서
자동분사가 끝나길 기다리곤 해
살다보면 눈치 빠른 사람 좀 많아
어떤 놈은 욕을 하고 지나가기도 해
굳이 놈이라고 표현하는 것은
시답잖은 녀석일 거라는 생각에서야
더 시답잖다고 느끼는 경우는
외제차에서 점잖게 내려서
세차비를 달라고 요구하는 놈이지
진짜 더 시답잖은 놈은
뒤에서 빵빵거려도 자동분사가 끝날 때까지
그대로 멈춰 서 있어

그런 놈은 에라 하며 수동으로 계속 누르지

AI*보다 독한 놈들이야

오기가 생기면 분사대를 넘어가는 순간

수동스위치를 꼭꼭 누르곤 하지

방사의 현장에서

한 번도 날아보지 못하고 묻힌 날개를 대신해

소심한 복수를 해주는 것

소크라테스의 독배를 쥔 손가락을 떠올리며

부지런히 스위치를 누르지

눈꺼풀은 자꾸만 내려가고

욕지거리의 발화점은 자꾸만 낮아져 가지

* AI : Avian Influenza 조류 인플루엔자

고요를 훔치다

애지중지한 고요가 없어졌다

고요를 데리고 달아난 이를 찾다가
황금 신전의 낡은 벽돌마다 새겨진
적막의 울음 발자국을 본다

언젠가 9층과 10층 사이에 머물다
송곳처럼 떨어지던 고요는 섬뜩하였다
수십 광년 슬픔의 길이를 가진 잎맥들이 나무를 소유하는 법
늘상 착시의 절벽을 향하는 피리소리

결코 쓰다듬지 못할 고요의 갈기
사각링 안에 누운 복서는 쓸쓸하다
목청은 들리지 않고
시위를 먹이는 구름의 눈동자에 고요의 과녁이 맞춰진다
그 아래에 구름이 있고
아래 구름의 아래에 떨고 있는 화살의 깃들

고요를 파시오

누구도 찾지 않는 24시간 편의점 진열대에

꼭 고요 한 봉지만 남았어요

빛이 움츠러드는 곳에서 성대는 수줍어하죠

그리 지독하지 않는 당신의 삶이

봉지에 담겨 있어 팔리지 않아요

동굴 안에서 적멸의 뿔을 가진 들소를 그리는 우리는

우리에게 고요를 파시오

묽은 스프는 입맛을 다시고

수저는 자꾸 수면의 깊은 속을 휘젓고 다녀요

소용돌이의 품 안으로 자꾸 빠져들고 있어요

계단을 딛는 발자국은 늘 두리번거리지

층계마다 우울의 격차가 다르다는 것

고요의 몸통에 미끈거리는 지느러미들

마지막으로 고요는 물었다

나를 사랑하느냐

저 양떼를 고요가 활활 타오르는 무저갱으로 끌고 갈지어다

목청을 잘 가다듬어야 할 것이다

그대의 헛수고가 담긴 수건을 꽉 짜주시오
허기진 습기의 향이 피어오를 때
두리번거리던 고요를 고요들이 장례하였다

해설

삶의 성찰 · 인간애 · 생명의식

허형만

박광영 시인의 시는 친화력이 있다. 박광영 시인의 첫 시집 『그
리운 만큼의 거리』를 읽으면서 "하나의 완벽한 문장은 가장 위대
한 생명적 경험의 절정에서 태어나는 것이다."라는 레옹-폴 파르
그의 말을 떠올렸다. 또한 진정한 시는 진면목을 감추려고 하지
않는 법이라서, 일체의 난해성을 거부하면서도 본의 아니게 은밀
한 것이 참다운 시라는 마르셀 레몽의 생각도 어찌 보면 시인으
로서의 역사적 존재 그 자체를 보여주고 있다는 점, 그러기에 맑
고 깨끗한 영혼을 가진 '소우주'로서의 시인이 우주의 손길과
정성을 온몸으로 받아들이며 시적 성찰을 보여주고 있는 박광영
시인의 시세계와 부합되리라 믿는다. 노자는 우주의 본원인 도의
덕성을 현덕玄德이라고 했다. 노자는 구체적인 사물의 덕성을 하
늘의 덕, 땅의 덕, 사람의 덕 등으로 불렀지만 이러한 덕을 엄격

하게 구별하지 않고 모두 동일한 개념으로 보았다. 이제 우리는 박광영 시인의 시를 읽으며 노자의 현덕도 함께 생각할 것이다. 아울러 박광영 시인과 더불어 사는 인간들의 모습과 사랑에서 우러나는 생명의식도 공유할 것이다.

용당교 아래에 앉아 물소리를 듣는다

갈대 아래를 지나는 물은 고요하다
잔잔하게 두리번거리는 소리를 낸다

어도魚道를 지나는 물은 몸을 비틀며 큰 소리를 낸다
물은 이리저리 부딪히며 신음소리를 낸다

서정춘 선생은 등단 28년 만에, 『죽편』 시집을 내었다. 헛간에서 무쇠칼을 갈다가 은장도가 되고 나중에는 은어 새끼가 되어 파닥대는 꿈을 세 번이나 꾸었다고 했다. 닳아지는 것과 벼리는 것은 어떤 차이일까 헛간에 쭈그리고 앉아 마냥 갈면 은어가 될 날이 올까

가슴 밑바닥 퐁당퐁당 솟은 요철들은 닳아지기는 하는 걸까
다리 아래에서 기다려 볼 참이다
저 졸졸거리는 물에서 푸른 말똥의 냄새가 날 때까지
닳아지는 듯이라도 보이면 좋을 텐데
- 「푸른 말똥의 시인을 생각하다 1」 전문

이 시는 두 편의 연작시로서 현재 순천시청 공무원으로 근무하면서 시인으로서의 치열한 삶을 살아가고 있는 박광영 시인이

순천 출신 서정춘 시인을 생각하며 쓴 것이다. "푸른 말똥의 시인"인 "서정춘 선생은 등단 28년 만에, 『죽편』 시집을 내었다. 헛간에서 무쇠칼을 갈다가 은장도가 되고 나중에는 은어 새끼가 되어 파닥대는 꿈을 세 번이나 꾸었다고 했다." 이어서 같은 제목의 2번에서는 "죽편의 첫 시집을 출간할 때, 35편의 시를 골라내면서 선생은 30년 동안 참혹한 농사를 지었다고 흑흑 우셨다고 하는" 원로 대가 시인에 대한 존경심과 경외감이 절절하다.

시인은 순천 시내에 있는 "용당교 아래에 앉아 물소리를" 들으며 물소리의 여러 가지의 특성, 즉 "갈대 아래를 지나는 물"은 고요하면서도 "잔잔하게 두리번거리는 소리"를 내거나, "어도魚道를 지나는 물은 몸을 비틀어 큰 소리"를 내거나, "이리저리 부딪히며 신음소리"를 내기도 한다. 이처럼 한 자리에서 듣는 각기 다른 물소리는 곧 서정춘 시인의 생애를 떠올리는 인자因子로 작용한다. 아울러 서정춘 시인이 『죽편』 시집과 관련하여 꾸었다는 꿈 이야기를 생각하며 "저 졸졸거리는 물에서 푸른 말똥의 냄새가 날 때까지" 물가에 앉아 스스로의 시적 삶을 성찰하고 있다.

앞서가는 사람의 등을
바라보면
비렁과 같이 가파르다는 것,
바다가 보이는 좁은 길에서 보았다

숨 쉬는 굽이마다
기다림은 언제나 느지막이 나타나고
돌멩이 하나 주워 던지면
떨어지는 곳은 풍덩,

잃어버린 사랑의 자리

장력을 이기고 튀어 오르는
기억을 하나씩 꺼내어 말린다
미역을 널었다던 반석 위로
햇살은 더욱 투명해지고
속내 깊은 바다는 입술을 닫았다

수직한 절벽을 앞에 두고
동백은 붉은 꽃망울 터뜨린다
　　　　　　　　　－「비렁길에서 바다를 보다」 전문

　이 시의 "비렁"은 '벼랑'의 방언으로 '낭떠러지의 험하고 가
파른 언덕'을 뜻한다. 박광영 시인은 전남 여수시 금오도 비렁길
에 있는 전망 좋은 곳, "미역을 널었다는 반석"의 의미를 갖고 있
는 '미역널방'에서 "앞서 가는 사람의 등"을 보고 그 등이 "비
렁과 같이 가파르다"는 사실을 깨닫는다. 사람의 등이 비렁처럼
가파르다는 사실은 우리네 삶의 길이 곧 "비렁과 같이 가파르다
는 것"임을 박광영 시인은 성찰한다. 이러한 삶에 대한 박광영
시인의 성찰의 힘은 "우리의 등뼈가 휘어지는 것,/ 멈추고 싶어
하지만/ 포물선의 기울기는 한없이 날카로워지기만"(「탱자나무
숲」)하는 탱자나무를 통해서도 잘 드러난다.
　이 성찰의 힘은 철학적 사고력, 또는 깊은 사상의 힘으로 자리
한다. "햇살은 더욱 투명해지고/ 속내 깊은 바다는 입술을 닫았
다"는 사유의 깊이를 보라. 노자는 "가장 훌륭한 덕[上德]은 덕이
라고 하지 않는다. 그래서 덕이 있다."고 가르쳤다. 즉, 가장 훌

룽한 덕이 있는 사람은 덕을 드러내지 않는다는 말이다. 왜냐하면 다른 사람에게 한사코 자신의 덕을 보여줄 필요가 없고 마음에 여유가 있기 때문이다. 이 시에서 말하는 대로 비렁 아래 "속내 깊은 바다"가 바로 노자의 상덕上德에 다름 아니다. 이는 「탱자나무숲」에서 가시 돋은 탱자나무의 깊은 속에 새들이 옹기종기 모여 살고, 멈추지 않는 노래가 나오는 이치와도 다르지 않다.

이 점은 밥상머리에서 아내가 꼬막을 까서 시인 앞에 놓아주는 "아리고 아린 꼬막"(「꼬막」)을 통해 시인 자신의 아리고 아렸던 삶을 성찰하는 것이라든가, 무를 통으로 베었더니 바람이 든 걸 발견하고 "무 밑동 같이 살아온/ 버틸 수 없어도/ 쓸어 담을 수 없어도/ 버릴 수는 없"(「단면」)음에 대하여 그동안 살아온 삶을 기울 수 있으면 좋겠다는 생각을 하게 되는 것까지 모든 삶은 성찰로 이어지고 있음을 본다. 이처럼 박광영 시인의 삶에 대한 깊은 성찰은 시인으로서의 고뇌로 이어진다.

비 갠 아침을 지나
휘돌아가는 동천 강물 같은
시詩의 피가 흐른다면

펄떡이는 혈맥에 언어의 피라미 떼는
발가락 마디마디 종점까지
핏줄 따라 놀러다니겠다

밤마다
가슴에 덜컥 걸리는 언어들
엄지손톱 밑을 찌르며

시커멓게 죽은 문장의 피를 짜낸다
어둠의 양수 속으로 미끄러지는
w93329207 소행성들

시詩의 날은 무디어져
자꾸만 무디어져
내 볼기를 무참하게 만드는
시의 피여
시인의 길에서 철버덕거리는 피여

　　　　　　　　　　　　　　　－「시인의 유전자」 전문

　이 작품에서 우리는 박광영 시인만의 시인으로서의 절대적 고
독을 읽는다. 마치 릴케의 『말테의 수기』가 한 젊은 영혼이 두
려움, 절망에 둘러싸인 것처럼 시인의 내적 고독은 "휘돌아가는
동천 강물 같은/ 시詩의 피"가 곧 "시인의 길에서 철버덕거리는
피"라고 고백하는 것만 보아도 알 수 있다. 이 작품의 제목이 「시
인의 유전자」이다. 그 유전자 속에 흐르는 "시詩의 피"를 곰곰이
생각해보면 박광영 시인이 천상 시인일 수밖에 없다는 사실 말고
도 우리는 그리스도의 피를 생각하지 않을 수 없게 된다. "내가
진실로 진실로 너희에게 이르노니 인자의 살을 먹지 아니하고 인
자의 피를 마시지 아니하면 너희 속에 생명이 없느니라(…) 내 살
을 먹고 내 피를 마시는 자는 내 안에 거하고 나도 그 안에 거하나
니"(「요한복음 6:53,56」), "이것은 많은 사람을 위하여 흘리는 나
의 피 곧 언약의 피니라"(「마가복음 14:24」)에서처럼 말이다.
　결국 동천을 헤엄치는 피라미 떼가 시의 언어로 치환되는 시인
의 시적 상상력은 한 편의 시를 쓰기 위한 "언어들"이 "밤마다/

가슴에 덜컥거리는" 사실에 아파하고, "시詩의 날은 무디어져/ 자꾸만 무디어져"가는 현실에 괴로워한다. 시인이 한 편의 시를 쓰기 위해 겪는 아픔과 괴로움은 "시커멓게 죽은 문장의 피를 짜"낼 때 더욱 가중된다. 이때의 상태를 블랑쇼의 말을 빌리자면 '본질적 고독'이다. 시인은 '쓰는 자'이다. 시를 쓸 때 비로소 '시인'이다. 그래서 시인은 '언어'로 말하는 것이다. 다음 작품은 박광영 시인이 본질적 고독 속에서 시의 언어를 찾아가는 과정을 보여준다.

오래전 집들이 가는 길
길을 지나다 작은 선인장 화분을 봤지
이천 원짜리 두 개 골라
하나는 친구에게,
하나는 내가 가져왔지

선인장은 쑥쑥 자랐어
몸통은 굵어지고
베란다 햇볕 잘 드는 자리에서
장족의 발전을 한 거지
볼 때마다 흐뭇했어

어느 날인가
나는
가시를 잃어버렸어

사는 재미에 관록도 붙고

음흉한 상상으로 열기구에도 올라타고
창공을 오를 때도 있었지
이리저리 부는 바람에 쏠려다니고
세상살이 시달려 보니
이젠 부러지고 뭉툭해졌어

가시는 찌르라고 있지
가시가 다시 돋아나면 좋겠어
마음 깊은 데를 찌를 수 있는

무릎을 꿇고
뾰족한 새파란 가시가 번뜩거리길
기다려야겠어

- 「가시」 전문

　베란다에서 키우던 선인장의 가시들을 보고 있던 어느 날, 시인
자신은 정작 "가시들을 잃어버렸단 생각"으로 자신을 되돌아보
게 된다. '가시'란 무엇인가. 이 작품에서 보면 선인장 잎에 바늘
처럼 뾰족하게 돋아난 부분을 일컬을 터이며, '눈엣가시'처럼 미
운 사람의 비유이거나 '가시 돋친 말'처럼 사람의 마음을 찌르
는 것을 표현한 것일 터. 이천 원짜리 선인장이 쑥쑥 자라 "몸통의
가시도 굵어지고" "후덕하니 자라는 모습" "볼 때마다 흐뭇했"는
데 "어느 날/ 가시들을 잃어버렸단 생각"이 들었다는 것은 "어느
날"을 '문득'이라는 부사로 바꿔보았을 때 자신의 삶을 성찰하고
있음이 더욱 실감날 것이다. 특히 이 작품의 후반부가 그걸 증명
한다. 시인의 과거와 현재의 삶을 고백한 대목이 그렇다.

시인은 자신의 과거가 "세상사는 재미에/ 관록도 붙고/ 음흉한 상상들과 함께 열기구에 올라타고/ 상공으로 오를 때도 있었"다고 고백한 다음 "가시는 찌르라고 있지/ 이리저리 부는 바람에 쏠리지 않도록,/ 세상살이 시달리고 보니/ 이젠 부러지고 통통해"진 자신을 되돌아본다. 시인의 삶이 과거와 현재가 그만큼 변화했다는 말이다. 시인의 과거의 발걸음은 "매번 주뼛거렸"(「숲 속의 노래」)고, "등지느러미 빳빳하게 세워온 생"(「상상의 밤」)이었으며, "폐에서 떨어지는/ 안개처럼 흘러나오는 욕망들"(「보림사 목어」)로 가득 찼었다.

지금에 와서 생각해 보니 "찌르라고" 있는 가시지만 살아가면서 "뭉툭해졌"다는 것은 일면 삶에 대한 성숙이리라. 그러나 이 "가시"가 시인으로서의 '시정신'으로 바뀌면 상황은 달라진다. "뭉툭해"진 시 쓰기라면 시인에게는 치명적이 아닐 수 없다. 블랑쇼가 글쓰기에 매달렸을 때 "쓰는 일은 무서운 일이다. 쓰는 일은 자신의 죽음을 바라보는 가장 고독한 실천과 겹쳐 있다"는 철학적 사유는 박광영 시인에게도 마찬가지여서 처절함과 긴장감을 한시도 놓칠 수 없다는 시정신을 곧추세우기 위해 "가시가 다시 돋아나면 좋겠어" 하고 소망한다. "마음 깊은 데를 찌를 수 있"기를 바라는 시정신! 그래서 "끝이 새파란 가시가 번뜩거리길 기다리며" "무릎을 꿇었"다는 시인! 그리고 "가슴을 바람이 간지럽힐 때마다/ 마음 구석에 땡그렁거리는 고동 소리를/ 하나쯤 달았으면 좋겠다"(「풍경」)는 시인의 이 간절함! 이 모든 것들은 박광영 시인 자신을 비롯하여 삶의 주변 모든 사람들에 대한 인간애로 확산되는 시적 성취를 이루기에 이른다.

70대 후반의 사육사가
반달곰 두 마리에 물려죽었다
곰은 사살되었다
사육사와 반달곰 중 누가 더 불행한가 따져보다
곰에게 물려죽은 또 한 사람이 떠올랐다

호시노 미치오,
불곰에게 물려죽은 사람
알래스카의 북극에서
고래, 흰머리수리, 회색곰, 연어, 무스와
이십 년을 함께 살았다
하루 종일 해가 뜨지 않는 밤이면
고개를 젖히고 오로라만 바라본 사람
캄차카반도에서 알래스카의 고독한 눈 숲까지
오오츠크해의 냉랭한 기단처럼
눈빛을 반짝거리며 야생을 돌아다녔다
그가 아니었다면 잉태하지 못했을 순간들
오직 조물주의 신神만이 아는 풍경을
몇 장의 사진으로 남기었다
캄차카반도의 쿠릴호수 옆에서
불곰의 습격을 받았던 마흔네 살,
그 후로 우리는
북극의 땅에서 일어나는 생명의 신비,
그 야생사진 연작을 볼 수 없게 되었다

오늘 밤 나는,
툰드라의 이끼풀밭이 지평선을 무한히 넘어서는 광경에서

회색곰의 습격을 받는 꿈을 꿀 것이다

　　　　　　　　　　　　　　　　　-「알래스카 사진사」 전문

　　이 시는 박광영 시인의 등단 작품이다. 어느 날 동물원의 사육
사가 반달곰 두 마리에게 물려 죽었다는 뉴스를 접하고 "곰에게
물려죽은 또 한 사람" 즉 "호시노 미치오"를 떠올리며 이 작품은
시작된다. 마치 한 편의 다큐 영화를 보는 듯한, 그러면서도 신화
와 같은 이미지와 언어의 감각은 단연 독자를 사로잡기에 충분하
다. 이 작품의 주인공 호시노 미치오(星野道夫, 1952~1996)는 일
본 지바현 출신의 자연 사진작가이다. 10대 후반 청년시절 처음
알래스카로 떠난 이래 20여 년간 알래스카의 자연을 사진에 담
아냈다. 그는 1996년 7월 22일 일본 TBS TV 프로그램 '동물 기
상천외"의 취재를 위해 러시아 캄차카반도 쿠릴호반으로 이동하
였으나, 8월 8일 야영하고 있던 천막에서 불곰의 습격을 받아 사
망했다. 그가 사망한 이후로 시인의 말처럼 "우리는/ 북극의 땅
에서 일어나는 생명의 신비,/ 그 야생사진 연작을 볼 수 없게 되
었다". 호시노 미치오의 생애가 곧 자신의 삶을 찾는 행위였다는
사실을 알고 나면 이 작품에 골몰한 박광영 시인 또한 호시노 미
치오를 통한 자신을 찾기 위해 얼마나 노력하고 있는가를 알 수
있을 것 같다. 왜냐하면 이 작품의 마지막 연, "오늘 밤 나는,/ 툰
드라의 이끼풀밭이 지평선을 무한히 넘어서는 광경에서/ 회색곰
의 습격을 받는 꿈을 꿀 것이다"가 증명하고 있기 때문이다. 호
시노 미치오와 시인과의 동화, 일체감은 한 사람은 사진작가로
서, 또 한 사람은 시인으로서, 각자 자기의 전업에 목숨을 바칠
수 있다는 각오에 다름 아니다. 나아가 호시노 미치오에게처럼

시인 자신도 함께 살아가고 있는 이웃들에게 따뜻한 인간애를 보여주고 있다.

벚꽃 구경 갔다가
솜사탕을 하나 사려 했지
깜짝 놀랐어
어 당신!

호수공원에서
솜사탕과 닭꼬치 파는 노점상 쫓아내려
두어 번 실랑이를 벌였는데
당신이 또 여기에?

비싸게도 파네
5천 원짜리,
토끼 눈깔 붙인 솜사탕 하나 사들고
지폐를 내밀었더니 안 받으려 해
머쓱한 웃음 짓고
다시는 안 본다고 했더니 주저하며 받데
"도와주서서 그럭저럭 먹고 삽니다"
돕기는 뭘 도와요…

속 모르는 옆의 지인이 한 말 거드네,
"선생님은 발도 넓으셔요,
지난 번 치킨 집 사장님도
잘 아시더니…"

동천 벚꽃은 한창인데,
벚꽃은 웃음덩어리
터지면 멈출 수 없지

-「발이 넓어서」 전문

이 작품은 휴머니스트로서의 박광영 시인의 인간애를 잘 말해주고 있다. 박광영 시인은 순천시청 공무원이다. 공무원으로서 맡은 직무 중 하나였을 "노점상" 단속은 먹고 살기 위해 법을 어길 수밖에 없는 노점상과 이를 단속해야 하는 공무원 사이에 서로 "실랑이를 벌"일 수밖에 없을 터이다. "벚꽃 구경 갔다가/ 솜사탕을 하나 사려 했"는데 그 솜사탕 파는 노점상이 바로 지난 번 "호수공원에서" 단속하러 나갔다가 만난 그 사람, "당신"이었음에 놀라는 시인의 표정이 놀라는 듯하면서도 오히려 익살스럽다. 오천 원짜리 솜사탕 하나 값을 받으라느니 안 받겠다느니 하는 광경은 오히려 인간미가 넘친다. 아무리 직무라고는 하지만 평소에 노점상을 대하는 시인의 인간애는 노점상의 "도와주셔서 그럭저럭 먹고 삽니다"라는 말에서 잘 묻어난다. 정작 시인은 "돕기는 뭘 도와요"라고 짐짓 시치미를 떼지만 이 사람뿐 아니라 동행한 지인이 한 말 거드는 것처럼 "지난 번 치킨집 사장님"도 시인의 따뜻한 마음을 받았으리라. 아무리 직무상 어쩔 수 없는 공무원이지만 살기 힘들고 어려운 노점상의 말에 귀 기울일 줄 아는 공무원은 아름답지 않은가. 특히 시인이라면 더 아름다울 터. 노점상에게 귀 기울인다는 것은 곧 '응답'이다. 시가 그렇다. 박광영 시인은 언어가 말하는 것이라는 하이데거의 말을 삶에서 시에서 몸소 실천하고 있는 것이 아니겠는가.

박광영 시인의 인간애는 「송씨 아저씨」에서도 잘 보여준다. "이층집 송씨 아저씨"는 각시가 "이태 전에 필리핀에서" 온 다문화가정이다. "그저께 초저녁에" 만난 송씨 아저씨가 "각시 생일이라고 미역국 끓여줄란다" 하기에 "집에 미역이라도 있냐 물어본께" 없다고 하자 시인이 "집에 미역 쪼까 남은 게 있어서/ 한 냄비 넉넉하게 끓여" 송씨에게 건네주었다는 이야기는 얼마나 따뜻하고 훈훈한가.

그뿐이 아니다. "소주를 참 맛있게 자시는"(「혀에도 꽃이 피다」) '설과장', "그는 '낫낫하다'의 동의어로 불리곤 한다/ 달뜨지 않는 척하면서 종종 달뜨기도 한다"(「오종오종하다」)는 '그', "처음 간 터미널/ 구석진 식당에서"(「회포동터미널에서」) 낡은 식탁마다 이방인 면허증을 목덜미에 붙인 사람들, "누렇게 변색된 신문지처럼/ 다 떨어진 가죽가방 둘러메고"(「칼 가라아~」) 걷고 있는 칼 가는 노인, "굽은 소나무 서 있는/ 성동오거리 옆,/ 오후 네 시면 문 여는/ 로터리 국수집"(「겨울밤」)에서 만난 처자들과 사내, "오십대 아줌마 마늘 좀 사면 좋겠다 하니/ 한 차대기 만원이라며 두 차대기 버스에 실어주고/ 콧노래 부르며 헤드폰 마이크에 삑삑거리며 웃는"(「청산도 백씨」) 청산도 순환버스 운전기사 백씨 등 등 박광영 시인이 만난 사람들은 모두 따뜻하고 아름답다. 그 사람들은 "낮에는 비치지 않는/ 별빛을 하나씩 지니고 살아간다"(「지상의 별」). 그래서 박광영 시인의 시는 살아 숨 쉰다. 이 기막힌 생명성이라니!

허형만 | 시인, 목포대 명예교수

시와정신詩選 15

그리운 만큼의 거리

ⓒ박광영, 2018

초판 1쇄 | 2018년 12월 31일

지 은 이 | 박광영
펴 낸 곳 | **시와정신**
주　　소 | (34445) 대전광역시 대덕구 대전로1019번길 28-7
　　　　　　 신창회관 2층
전　　화 | (042) 320-7845
전　　송 | 0507-713-7314
홈페이지 | www.siwajeongsin.com
전자우편 | siwajeongsin@hanmail.net
편　　집 | 정우석 010_9613_1010
공 급 처 | (주)북센 (031) 955-6777

ISBN 979-11-89282-06-6　　03810

값 10,000원

· 이 책의 판권은 박광영과 **시와정신**에 있습니다.
· 지은이와 협약에 의하여 인지를 생략합니다.
· 잘못된 책은 바꿔드립니다.
· 본 도서는 2018년 전라남도문화관광재단 문화예술지원사업의 일부 지원
을 받아 제작되었습니다.